STAR WARS

THE CLONE WARS™

© Hachette Livre, 2010, pour la présente édition :
Dans les précédentes éditions, ce texte portait le titre :
Star Wars, The Clone Wars
Conception graphique du roman : Laurent Nicole.
Traduction : Jonathan Loizel
Hachette Livre, 43, quai de Grenelle, 75015 Paris.

THE CLONE WARS

Un nouveau disciple

hachette
JEUNESSE

Les planètes de la galaxie doivent choisir leur camp : s'allier aux Séparatistes ou aider les Jedi à protéger la République ? Un seul clan survivra à cette guerre. Le vainqueur contrôlera la galaxie tout entière, et fera régner la paix ou la terreur...

Les Jedi

L'ancien padawan d'Obi-Wan est devenu un Chevalier Jedi impulsif et imprévisible. Il a une maîtrise impressionnante de la Force. Mais est-il vraiment l'Élu que le Conseil Jedi attend ?

Ahsoka Tano

Yoda a voulu mettre Anakin à l'épreuve : il lui a envoyé une padawan aussi butée et courageuse que lui... Cette jeune Togruta possède toutes les qualités nécessaires pour être un bon Jedi, sauf une : l'expérience.

Les Jedi

Général Jedi,
il commande l'armée
des clones. Il est reconnu
dans toute la galaxie
comme un grand guerrier
et un excellent négociateur.
Son pire ennemi est
le Comte Dooku.

Maître Yoda

C'est probablement
le Jedi le plus sage
du Conseil.
Il combat sans relâche
le Côté Obscur de la Force.
Quoi qu'il arrive,
il protégera toujours
les intérêts de
la République.

Ces soldats surentraînés
ont tous le même visage
puisqu'ils ont été créés
à partir du même modèle,
sur la planète Kamino.
Le bras droit d'Anakin,
le capitaine Rex,
est un clone aussi entêté
que son maître !

Les Séparatistes

Cette ancienne Jedi
a rapidement préféré
le Côté Obscur
de la Force. Elle est la plus
féroce des complices du
Comte Dooku,
mais surtout, elle rêve
de détruire Obi-Wan.

Le Comte Dooku

Il hait les Jedi.
Son unique but est
d'anéantir la République
pour mieux régner
sur la galaxie. Il a sous
son commandement
une armée de droïdes
qui lui obéissent
au doigt et à l'œil.

Le Général Grievous

Ce cyborg
est une véritable
machine à tuer !
Chasseur solitaire,
il poursuit les Jedi
à travers toute
la galaxie.

Darth Sidious

Il ne montre jamais son
visage, mais c'est pourtant
ce Seigneur Sith qui dirige
Dooku et les Séparatistes.
Personne ne sait d'où il vient
mais son objectif est connu
de tous : détruire les Jedi
et envahir la galaxie.

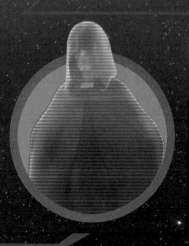

**Il y a bien longtemps,
dans une galaxie
lointaine...**

Des nuées de vaisseaux volent au-dessus de la planète Coruscant. Pendant des années, c'est là que s'est trouvé le gouvernement de la République, l'union qui maintient l'ordre dans toute la Galaxie depuis la nuit des temps.

Maintenant la République est attaquée. Le Comte Dooku et son Alliance Séparatiste sèment le chaos en envahissant toutes les planètes qu'ils rencontrent sur leur chemin. Le chef du Sénat Galactique, le Chancelier Palpatine, a rassemblé des milliers de clones au sein d'une armée pour venir en aide à ces planètes. Ces clones génétiquement modifiés sont bien plus performants que les droïdes de l'armée Séparatiste. Cependant, ils ne disposent pas d'un vrai leader, et ils ont bien du mal à lutter contre les assauts répétés du Comte Dooku.

C'est là que les Jedi entrent en scène. Ces gardiens pacifistes de la Galaxie ont rejoint les combats et pris le commandement de l'armée de clones.

Alors que la bataille fait rage dans la Galaxie, les habitants de Coruscant se sentent plutôt en sécurité. En effet, ils sont bien à l'abri dans leurs gratte-ciel de métal modernes, mais surtout, leur planète abrite le Temple Jedi. C'est une structure géante qui domine l'ensemble des bâtiments. Les cinq tours du sommet abritent chacune des chambres sacrées.

La chambre centrale est celle du Conseil des Jedi, composé de douze Maîtres Jedi qui gouvernent l'Ordre. Yoda, le sage, et Maître Windu sont dans la salle du Conseil pour discuter d'un problème urgent. Ils doivent convoquer deux des meilleurs Jedi de l'armée de la République : Obi-Wan Kenobi et Anakin Skywalker.

Les Jedi sont sur le point de gagner une bataille contre une armée de droïdes sur la planète Christophsis, mais ils restent injoignables. Yoda et Windu essaient de communiquer avec le vaisseau principal envoyé par Obi-Wan et Anakin pour chercher du matériel.

L'Amiral Yularen de la République reçoit la transmission en hologrammes dans une salle spéciale du vaisseau. Des images d'un bleu électrique de Yoda et Windu apparaissent devant lui.

Windu est un homme grand et fin. Il fronce toujours les sourcils.

— Nous devons contacter le Général Kenobi, explique-t-il à l'Amiral.

— Nous n'avons pas réussi à le localiser. C'est peut-être à cause d'une éruption solaire ou alors ils réparent leur système de communication… Je suis persuadé que la panne est temporaire, répond Yularen.

Yoda hoche la tête. Il n'arrive même pas à la taille de Windu, mais les rides de son visage, qui ont mis plus de neuf cents ans à se former, révèlent sa sagesse et sa force.

— Un messager, nous envoyons. Des informations importantes pour le Général Kenobi, il a.

— Assurez-vous qu'il arrive auprès de Kenobi le plus vite possible, ajoute Windu.

— Oui, Maître. Nous embarquons dès que nous aurons chargé le matériel.

Yoda prend un air inquiet.

— De temps, nous manquons. Immédiatement, le messager doit partir.

Les hologrammes disparaissent progressivement. L'Amiral Yularen comprend l'importance de la requête du vieux Jedi et prépare le lancement de la navette qui doit rejoindre la planète Christophsis. L'envoi du messager vers la planète s'est bien passé, mais ce dont l'Amiral ne se doute pas, c'est que les Jedi ont des soucis bien plus importants qu'une panne de communication…

CHAPITRE 1

Combat

Sur la planète Christophsis, les combats s'intensifient. Des tirs de rayons laser font exploser les vitres d'un gratte-ciel. Anakin Skywalker prévient ses clones du danger.

— Attention, ils reviennent !

Anakin et Obi-Wan se sont battus dans toute la ville contre des petites unités de droïdes. Ils ont remporté une bataille, et le calme semble revenu. Leur victoire est malheureusement de courte durée. Un nouvel escadron de droïdes se dirige droit vers eux.

— Je t'avais dit que ça parais-
sait trop facile. Nous n'aurions jamais dû envoyer le vaisseau chercher
du matériel. Nous devrions être plus
nombreux à nous battre ici, dit Obi-
Wan.

— Ce n'était pas mon idée, proteste
Anakin.

Le jeune Jedi est très orgueilleux
et il déteste reconnaître qu'il a tort.
Pourtant c'est un défaut très dangereux pour un Jedi. Obi-Wan évite
de répondre à son ancien élève :
ce n'est vraiment pas le moment
de lui faire la leçon !

Le général Jedi se tourne face au groupe de
clones qui s'est rassemblé derrière eux. Les
soldats sont tous équipés des mêmes armures
blanches ultra-résistantes qui recouvrent chaque partie de leur corps. Les clones sont armés de DC-15, un fusil à plasma surpuissant,
capable de réduire en miettes n'importe quel
droïde.

— Prêt pour le deuxième tour ? dit Obi-Wan.

Anakin s'approche d'un des soldats. Les plaques métalliques bleues sur ses épaules, ses genoux et son casque ne font aucun doute : c'est Rex, le capitaine des clones.

— Rex, rassemble tes soldats et suis-moi, ordonne Anakin.

Ils courent vers une rue voisine. Obi-Wan reste seul avec le commandant Cody et une poignée de clones.

L'escadron ennemi se dirige vers eux : Obi-Wan réunit ses troupes derrière lui. Les droïdes de combat et leurs fusils d'assaut sont en première ligne, et à quelques mètres de là se trouvent les super droïdes. D'allure massive, ils sont équipés d'armures gris foncé et chacun d'entre eux possède un double fusil laser intégré dans le bras droit.

Les troupes ennemies sont encadrées par deux droïdes araignée. Ils se déplacent sur quatre grandes pattes articulées surmontées de gigantesques têtes. Celles-ci sont équipées de plusieurs petits canons lasers, ainsi que de deux yeux rouges qui leur donnent un air sinistre.

Contrairement aux clones, les Jedi ne sont pas lourdement armés, mais ils sont bien plus rapides que n'importe quel droïde de l'armée Séparatiste. Obi-Wan porte des bottes et une tunique beige par-dessus son armure légère. Elle protège uniquement sa poitrine et ses bras. Anakin a des vêtements sombres. Ils ne se battent pas avec des fusils laser, comme les soldats, mais sont restés fidèles à l'arme légendaire des Jedi : le sabre laser.

— En formation de combat ! crie Obi-Wan.

L'assaut est lancé ! Les clones foncent droit vers les rangées de droïdes qui arrivent vers eux. L'air se remplit d'explosions de lumière lorsque les soldats tirent les premières salves de rayons laser. Les clones sont bien protégés par leurs armures, et ils continuent d'avancer sous le feu des armes. Obi-Wan utilise son sabre laser bleu comme un bouclier, et se fraye habilement un chemin à travers les droïdes. Il parvient sans peine à fendre les armures de métal des soldats.

Le commandant Cody est très occupé lui aussi. Il tire à l'aide de son DC-15, mais chaque fois qu'il abat un soldat, un autre apparaît juste derrière lui.

— Le Général Skywalker aurait déjà dû arriver !

— Ne t'inquiète pas, il sait ce qu'il fait ! répond Obi-Wan.

De l'autre côté, Anakin est prêt à intervenir. Il a déplacé ses troupes derrière l'attaque des droïdes, et s'est protégé dans une grande sphère d'énergie. D'un coup d'œil, il analyse la situation : les droïdes les plus forts ont été gardés pour la fin des combats. Trois grands Octuptarra apparaissent en faisant trembler le sol. On dirait des droïdes araignée, mais en deux fois plus grands ! Ils se déplacent sur trois énormes pattes articulées. Leurs sommets arrondis peuvent tourner à trois cent soixante degrés, et ils tirent dans toutes les directions.

— Quel est notre plan, Maître ? demande un soldat.

— Suivez-moi, répond Anakin avec un grand sourire.

Il bondit hors de la sphère protectrice en faisant un saut périlleux, et atterrit sur le dessus d'un des Octuptarra. Le monstre est pris de panique. Il secoue la tête dans tous les sens pour faire tomber le Jedi.

Anakin évite les tirs d'un autre Octuptarra, et plante son sabre laser dans la tête du droïde. Il saute par terre avant que le robot ne s'écroule, et fonce droit devant, suivi de près par les clones.

Les droïdes de combat ne comprennent pas tout de suite qu'ils sont attaqués par-derrière, et ils tirent n'importe où sous l'effet de surprise. Anakin saute sur un autre Octuptarra et s'en débarrasse pendant que les clones continuent leur attaque. Avant de descendre du robot, il aperçoit Obi-Wan et ses troupes qui arrivent droit devant en détruisant tous les droïdes sur leur passage. Leur plan fonctionne !

C'est presque trop facile. Anakin s'occupe du dernier Octuptarra en quelques instants, et file rejoindre la bataille.

Obi-Wan et ses clones se frayent un chemin vers Anakin, à l'arrière. Ils se retrouvent au milieu du champ de bataille, entourés de débris de droïdes. Hélas ! La victoire n'a pas duré longtemps : d'autres armées de robots arrivent en soutien.

— On a besoin de renforts, dit Anakin.

— Mais nous n'avons pas pu établir de contact avec l'Amiral, répond Obi-Wan.

Plus loin dans la rue, le capitaine des droïdes est devant l'hologramme du Général Whorm Loathsom, un des leaders Séparatistes. Loathsom n'est pas un robot, c'est un être de chair et de sang, mais son apparence est trompeuse. Il a une très grande tête bleue et couverte d'écailles, et des défenses d'éléphant sortent de sa petite mâchoire inférieure.

— Nous ne pouvons pas passer leurs canons, général, explique le capitaine.

— Et nous n'y arriverons jamais, répond Loathsom d'une voix aussi sèche que le sable de Tatooine. Nous devons faire marche arrière et utiliser nos boucliers défensifs. Ramenez les troupes !

L'hologramme disparaît et le capitaine fait passer le message.

— On se replie ! On se replie !

— *Bien reçu, bien reçu,* répondent les droïdes à l'unisson.

Ils font immédiatement marche arrière vers leur forteresse.

— Ils se retirent ! dit Anakin.

Obi-Wan regarde les robots s'éloigner, puis lève la tête. Au-dessus d'eux se trouve une navette de la République ! Le vaisseau blanc et rouge est un signe du destin.

— On dirait que les renforts sont là ! s'exclame Obi-Wan avec soulagement.

Obi-Wan et Anakin marchent avec Rex et les clones vers City Plaza, l'endroit de la ville qu'ils ont réquisitionné comme piste d'atterrissage.

R2-D2, le droïde d'Anakin, roule vers lui. R2 est plus petit qu'un droïde de combat, et n'a jamais été équipé de fusil laser, mais il a toujours sorti Anakin de situations compliquées.

— Notre vaisseau doit revenir avec de nouvelles troupes et du matériel. Nous en avons bien besoin. Et peut-être qu'il amènera mon nouveau padawan ?

— Tu crois vraiment que c'est une bonne idée d'emmener un padawan avec nous ? demande Anakin.

Obi-Wan hoche la tête.

— J'en ai déjà discuté avec Maître Yoda. Et d'ailleurs, tu devrais faire une demande pour en avoir un aussi. Tu ferais un excellent professeur.

Anakin sourit. Il est bien trop occupé à combattre les droïdes pour jouer les nounous avec un enfant qui veut devenir Jedi, et qui ne sait même pas ce qu'est un sabre laser.

— Non, merci.

— Tu sais, Anakin, enseigner est un privilège, et cela fait partie des responsabilités d'un Jedi que d'aider la nouvelle génération.

— Avoir un padawan avec moi ne ferait que me gêner.

Ils arrivent sur la place principale protégée par des canons laser géants au moment où la navette se pose. Une rampe d'accès est déployée, et c'est une jeune fille qui sort la première.

— Une gamine ? dit Obi-Wan.

La jeune fille est une Togruta et vient de la planète Shili. Comme tous les habitants de cette planète, elle a la peau rouge foncé et des motifs blancs autour des yeux. Les cornes sur son front sont encore petites à cause de son âge, et les lekku qui partent du sommet de son crâne sont à la hauteur des épaules.

La jeune fille se dirige avec assurance vers les deux Jedi, et sans se rendre compte qu'elle est au cœur d'une zone en guerre.

— On peut savoir qui tu es ? demande brusquement Anakin.

— Je m'appelle Ahsoka. Je viens de la part de Maître Yoda. Il souhaite que vous rentriez immédiatement au Temple Jedi, car il y a urgence, dit-elle d'un ton assuré.

— Eh bien, au cas où tu n'aurais pas remarqué, nous sommes en pleine urgence ici.

— C'est vrai. Nos moyens de communications sont hors service, et nous avons demandé de l'aide, explique Obi-Wan.

— Maître Yoda n'avait aucune nouvelle de vous, c'est pour cette raison qu'il m'a envoyée.

— Génial ! Ils ne savent même pas qu'on est en danger! s'écrie Anakin.

Ahsoka sort de sa poche un transmetteur holographique.

— Vous pourriez peut-être utiliser ceci pour envoyer un signal via le vaisseau qui m'a déposée ici.

Anakin ne risque pas de l'admettre, mais l'idée de cette jeune fille est bonne. Ahsoka établit un contact avec le vaisseau, et un clone apparaît devant eux. La jeune padawan lui explique la situation.

— Nous subissons actuellement une attaque de vaisseaux de guerre Séparatistes, mais je vais tenter d'établir un contact avec le Temple Jedi pour vous, répond le clone.

Quelques instants plus tard, l'hologramme de Yoda apparaît.

— Maître Kenobi, heureux qu'Ahsoka vous ait trouve, je suis.

— Maître Yoda, nous sommes piégés ici, et en sous-effectifs. Nous sommes dans l'impossibilité de nous déplacer. Nos vaisseaux de soutien ont tous été détruits, explique Obi-Wan.

— Des renforts, nous vous envoyons.

Avant même que le Jedi ne réponde, l'image en hologramme se trouble et s'efface peu à peu.

— Maître Yoda ? Maître Yoda ? dit Obi-Wan.

Puis l'image du clone réapparaît à la place du vieux Maître.

— Nous avons perdu la transmission, Maître.

À bord du vaisseau, l'Amiral Yularen explique la situation.

— Nous devons quitter l'orbite de la planète. Des navettes ennemies sont en route.

— Nous vous contactons dès que possible, dit le clone à Obi-Wan, avant de stopper la transmission.

— Je crois qu'il va falloir attendre encore un peu, dit Anakin en soupirant.

— Je te fais mes excuses, jeune fille. Il est temps de faire connaissance, dit Obi-Wan en se tournant vers Ahsoka.

— Je suis la nouvelle padawan, Ahsoka Tano.

— Et je suis Obi-Wan Kenobi, ton nouveau professeur.

Ahsoka s'incline avec respect.

— Je suis à votre disposition, Maître Kenobi, mais je dois vous informer que mon professeur est Maître Skywalker.

— Quoi ? Non, non, non et non ! Il doit y avoir une erreur. C'est *lui* qui voulait un padawan, s'écrie Anakin en ouvrant grand les yeux.

— Non, Maître Yoda est catégorique. Je

suis le disciple de Maître Anakin Skywalker, et il doit superviser mon entraînement de Jedi.

Obi-Wan lève les mains en signe d'apaisement.

— Nous nous occuperons de ça plus tard. Les droïdes ne tarderont pas à contourner nos canons de protection.

— Je vais voir Rex au poste d'observation, dit Anakin.

— Tu ferais mieux de l'emmener avec toi, répond Obi-Wan en le regardant droit dans les yeux.

Anakin soupire déjà, mais sa padawan le rejoint rapidement en souriant.

Le jeune Jedi la conduit sur un poste d'observation au sommet d'un gratte-ciel abandonné. Il y a des clones tout autour qui surveillent la zone. Anakin localise Rex, le capitaine de l'armée de clones. Il a enlevé son casque, et on reconnaît les traits de visage caractéristiques des clones.

— Que se passe-t-il, Rex ?

— Rien, c'est calme pour le moment. Mais ils se préparent pour une autre attaque. Qui est cette jeune fille ?

— Je m'appelle Ahsoka Tano. Je suis la padawan de Maître Skywalker.

Rex hausse les sourcils d'un air amusé.

— Maître, je croyais que vous ne vouliez pas d'une padawan ?

— Il y a erreur. La gamine n'est pas avec moi, répond Anakin rapidement.

— Ne m'appelez pas comme ça. Je suis avec vous, Maître Skytruc.

— Comment est-ce que tu viens de m'appeler? Ne sois pas impertinente avec moi, petite. Tu sais, je ne suis même pas sûr que tu aies l'âge d'être une padawan.

Anakin a fait mouche. Ahsoka a juste quatorze ans, c'est-à-dire deux ans d'avance sur les autres.

— Peut-être que je suis trop jeune, mais Maître Yoda pense que je suis prête, répond-elle d'un air de défi.

— Ah oui ? Eh bien tu n'es pas avec Maître

Yoda maintenant. Alors, tu ferais mieux de commencer à faire tes preuves. Le capitaine Rex va te montrer comment on doit se comporter.

Rex met son fusil en bandoulière et se dirige vers les escaliers.

— En route, gamine.

— *Padawan,* marmonne Ahsoka en regardant Anakin.

Rex et la jeune fille traversent la place principale, et croisent une rangée de clones qui déplacent de l'artillerie lourde.

— Vous ne croyez pas qu'on devrait faire reculer cette ligne ? Ils auraient une meilleure position de cette façon, dit Ahsoka.

— Merci du conseil, mais le Général Skywalker pense qu'ils sont bien là où ils sont.

Ahsoka réfléchit.

— Si vous êtes capitaine et moi Jedi, alors théoriquement, je suis votre supérieur, non ?

Rex fait la grimace.

— Mais *techniquement*, tu n'es qu'une gamine.

— Une padawan ! corrige Ahsoka.

— De toute façon, pour moi, c'est l'expérience qui compte.

— Bon, eh bien si l'expérience est si importante, je crois que je vais commencer mon apprentissage tout de suite.

Rex sourit. Il admire les réflexions de la jeune fille.

Soudain, à l'autre bout de la ville, un gigantesque dôme d'énergie orange apparaît.

— C'est quoi, ça ? s'étonne Rex en s'arrêtant.

— Ce n'est pas bon signe. Les droïdes ont un bouclier d'énergie. Avec ça, il est presque impossible de contrer leurs attaques.

Le dôme s'agrandit pendant qu'ils discutent, atteignant presque la place principale.

— Si tu veux de l'expérience, petite, je crois que tu vas en avoir plus que tu crois, dit Rex.

Ahsoka regarde le bouclier s'approcher, et elle commence à douter. Est-ce qu'elle est vraiment prête pour ça ?

Elle se débarrasse rapidement de cette pensée. Maître Yoda pense qu'elle peut le faire, et elle ne veut pas le décevoir.

Et surtout, elle veut montrer à Maître Skywalker de quoi elle est capable.

CHAPITRE 3

Le bouclier

Anakin et Obi-Wan sont réunis avec Rex et Ahsoka dans le poste de communication installé dans Cristal City. Ils étudient une carte en hologrammes qui représente le plan de la ville. De nombreuses armées de droïdes se rassemblent tout autour, et se rapprochent d'eux.

Obi-Wan montre un point sur la carte.

— Le générateur du bouclier doit se trouver par là.

— Lorsqu'ils seront plus près, nous pourrons essayer de les attirer dans les bâtiments. Ça pourrait nous avantager un peu, dit Rex.

— Si ce bouclier est un si gros problème, pourquoi vous ne le faites pas simplement sauter ? demande Ahsoka.

Les trois hommes la regardent d'un air amusé.

— Plus facile à dire qu'à faire, répond Rex.

— Pour une fois, je suis d'accord avec elle, dit Anakin.

Ahsoka n'en croit pas ses oreilles et Obi-Wan le regarde avec surprise.

— Quelqu'un doit se faufiler jusqu'au générateur du bouclier et le détruire. C'est la seule solution, continue le jeune Jedi.

— Très bien. Dans ce cas, peut-être que vous pourriez vous frayer un chemin parmi les lignes ennemies et résoudre ce problème ensemble ? Qu'en penses-tu, Anakin ?

Ahsoka a envie de sauter de joie ! Elle va enfin participer à une mission Jedi.

— On peut le faire, Maître Kenobi !

— C'est moi qui décide de ce qu'on fait, réplique Anakin, avec le plus grand sérieux.

Obi-Wan se penche à nouveau sur la carte.

— Si j'arrive à les attirer par ici avec Rex, vous aurez peut-être une chance de passer derrière les troupes ennemies sans vous faire repérer.

— Vous n'aurez pas beaucoup de temps, remarque Rex. Les droïdes sont très nombreux… Notre capacité à nous battre est donc limitée si nous n'utilisons pas l'artillerie lourde. Si le bouclier continue à s'agrandir, les droïdes seront assez près pour détruire nos canons, et sans eux, nous sommes perdus.

— Nous trouverons un moyen ! murmure Ahsoka. Venez, Maître, on y va !

— Si nous survivons à cette mission, il faudra qu'on discute sérieusement tous les deux, dit-il à la jeune fille.

Ils quittent le centre de communication et marchent dans la ville, jusqu'à ce qu'ils arrivent à un gratte-ciel en ruine. Celui-ci offre un bon point d'observation sur le bouclier des droïdes et ils décident d'aller observer la scène aux jumelles depuis le sommet. Les robots continuent leur marche vers le centre de la ville, bien protégés derrière leur bouclier géant.

— Alors, quel est le plan ?

— Je pensais que c'était toi la chef, ici, répond Anakin en plaisantant.

— Non. Mais je suis la plus motivée en tout cas. Vous êtes celui qui a l'expérience dont j'ai besoin.

— Bon. Premièrement nous devons passer derrière ce bouclier, puis derrière leurs lignes de soldats.

— Pourquoi ne pas passer au travers, dans ce cas-là ?

— C'est impossible. À moins que tu ne veuilles te faire tuer.

Ahsoka lève ses mains en l'air.

— D'accord, vous avez gagné ! Ma première leçon sera d'attendre une réponse de votre part.

Anakin sourit. Il vient d'avoir une idée en parlant avec Ahsoka.

— Eh bien, tu ne vas pas attendre trop longtemps. J'ai trouvé un plan.

Le jeune Jedi aperçoit une caisse en bois qui ferait une cachette idéale. Ils rampent en dessous, et avancent jusqu'au bouclier.

Anakin porte autour du cou une sacoche, qui contient les charges explosives qu'ils placeront sur le générateur.

— Ce plan est stupide ! Nous devrions nous battre contre les droïdes, au lieu de nous cacher, dit Ahsoka.

— Mon plan stupide est en train de fonctionner. Nous sommes passés sous les barrières de détection du bouclier sans nous faire détecter, au cas où tu n'aurais pas remarqué.

— Si vous le dites...

Anakin s'arrête brusquement.

— Attends. Tu entends ça ?

Un grondement se propage rapidement, et le sol se met à trembler.

Anakin soulève la caisse et Ahsoka laisse échapper un cri. Des droïdes-tanks de l'Alliance Séparatiste débouchent dans la rue. S'ils ne font rien, ils vont se faire écraser !

— Sors d'ici, vite ! hurle Anakin.

Ils se débarrassent de la caisse et partent dans des directions opposées. Juste à temps pour éviter un droïde-tank qui passe entre eux en roulant.

Le Jedi se faufile entre les robots qui passent dans un bruit de tonnerre. Lorsqu'il arrive à hauteur de la jeune fille, il aperçoit un droïde-tank qui se dirige droit sur elle ! Il s'élance, et parvient à l'attraper par le bras. Ils attendent sur le côté que tous les robots soient passés. Par chance leur caisse n'a pas été écrasée, et ils peuvent se remettre en dessous. Le cœur d'Ahsoka bat à cent à l'heure. Ils ont réussi, mais il s'en est fallu de peu !

CHAPITRE 4

Danger !

Depuis le poste de communication sécurisé, Obi-Wan et Rex observent l'armée de droïdes qui avance.

— Si on ne fait rien, ils vont entrer dans la ville, dit Rex.

— Essaie de les attirer vers les bâtiments. Reste à l'intérieur pendant que le bouclier passe devant toi. Lorsque nous serons derrière, les droïdes-tanks auront du mal à manœuvrer. Nous verrons ce que nous pouvons faire à ce moment-là.

— À vos ordres, Maître !

Les droïdes avancent rapidement, et cette fois, ce sont des super-droïdes de combat qui sont en première ligne. Ils localisent très vite le poste de communication, et commencent à bombarder de tirs de laser.

Ils défoncent les murs déjà affaiblis et s'attaquent aux clones en faction à l'intérieur. Obi-Wan entre dans le combat en tranchant d'un seul coup de sabre le bras d'un droïde qui s'en était pris à un clone.

Le clone blessé, tombe à terre, et le Jedi se précipite pour lui porter secours, pendant que le droïde au bras coupé continue d'avancer. Obi-Wan lève sa main en direction du robot ennemi, et se concentre. Il le repousse violemment en utilisant le pouvoir de la Force.

Le super-droïde plane dans les airs pendant

quelques secondes avant d'être pulvérisé par un tir de fusil laser. Obi-Wan cherche d'où est venu ce tir, et aperçoit Rex.

— Nous sommes dans le bouclier maintenant. Si nous restons éloignés des droïdes-tanks, tout devrait bien se passer.

— Oui, mais nous n'arriverons pas à les empêcher d'atteindre les canons de la République, répond Rex.

— Ramène les troupes vers les canons de la place principale, et fais ce que tu peux pour les protéger. Je m'occupe de ralentir la progression des droïdes.

— Maître…, proteste Rex qui ne veut pas laisser son général affronter seul toute une armée. Mais Obi-Wan ne veut rien entendre.

— C'est un ordre, capitaine !

Rex emmène à contrecœur ses troupes loin du poste de communication.

Peu après, un super-droïde de combat surgit tout près d'Obi-Wan et pointe son double canon laser vers le Jedi.

WOOM ! Obi-Wan allume son sabre laser et

se débarrasse du robot d'un geste rapide et précis. Il bondit hors du poste et engage la bataille contre les droïdes dans la rue.

Une énorme explosion fait soudain trembler le sol. Obi-Wan aperçoit le premier droïde-tank sortir des décombres.

J'espère qu'Anakin et Ahsoka trouveront bientôt le générateur ! se dit-il.

Caché sous la caisse, le jeune Jedi regarde passer le dernier des droïdes-tanks.

— Je pense qu'ils sont tous partis, Maître, dit la jeune fille. On devrait sortir de là maintenant.

— Il reste encore beaucoup de chemin avant d'arriver au générateur.

— Est-ce qu'on a toujours besoin de cette caisse ? Je n'en peux plus d'être accroupie, il faut que je me lève.

— Nous devons être très prudents. Qui sait ce qui nous attend dehors ?

Ils continuent leur progression, mais se heurtent soudain à quelque chose de dur. Tellement dur qu'ils en tombent par terre.

C'est un droïde-destroyer. Entièrement en bronze, et qui peut se mettre en boule pour rouler sur lui-même. Il se déplie doucement et dévoile deux énormes canons laser à chaque bras. On dirait un insecte géant !

— COURS !

Ils s'enfuient tous les deux, en déviant les rayons à l'aide de leurs sabres. Le droïde n'arrive pas à les atteindre, alors il reprend sa forme initiale, et se met à rouler vers eux à toute vitesse.

— STOP ! crie Anakin.

— Il faudrait savoir !

— Arrête je te dis !

La jeune fille obéit. Ils font maintenant face au droïde qui fonce sur eux, activent leurs sabres laser, et *SLASH !* Ils le découpent en deux en passant à côté de lui !

— Bien, très bien. Tu apprends vite.

Anakin avait souhaité ne jamais avoir de padawan, et voilà que maintenant il ne peut plus se passer d'elle !

Le jeune Jedi lève la tête vers le bouclier. La couleur orange est beaucoup plus brillante sur le dessus du dôme. Sans un mot, Anakin et Ahsoka se mettent à courir vers le centre du bouclier.

Ils débouchent sur un ancien champ de bataille jonché de pierres. Ils aperçoivent le générateur de bouclier installé au milieu de la zone.

— Il est là ! Venez ! s'écrie Ahsoka.

— Reste à côté de moi, nous devons être prudents.

Mais la jeune fille ignore l'avertissement du Jedi. Elle court vers le générateur.

— Je t'ai dit d'attendre !! crie Anakin.

Ahsoka est presque arrivée, lorsqu'elle remarque soudain du coin de l'œil que des antennes sortent du sol. Il est trop tard quand elle comprend ce qui se passe. Elle essaie de faire demi-tour, mais perd l'équilibre et marche sur une des antennes. Anakin sent un frisson lui parcourir le dos en entendant l'alarme stridente se mettre en route. Comme sortis de nulle part, une armée entière de droïdes se précipite pour défendre le précieux générateur !

— Oups !

— Ne t'occupe pas des droïdes, installe plutôt les explosifs ! crie-t-il en lui jetant le sac.

— OK !

Elle attrape le sac d'une main, et tranche la tête d'un droïde de défense avec l'autre. Le robot titube, et s'écrase sur une autre antenne ! Alertés par le signal, d'autres droïdes se joignent au combat.

— Mais de quel côté es-tu à la fin ? Occupe-toi seulement des explosifs ! dit Anakin tout en distribuant des coups de sabre laser.

— Je suis désolée ! crie Ahsoka.

Elle arrive à côté du générateur, en faisant attention à ne toucher aucune antenne.

Le Général Loathsom

De son côté, Obi-Wan se bat courageuse-
ment contre les hordes de droïdes. Mais ils
sont beaucoup trop nombreux pour un seul
homme, même pour un grand Chevalier Jedi
comme lui.

Un immense droïde-tank arrive devant le
poste de communication en faisant trembler
le sol. Le cockpit s'ouvre doucement. C'est le
fameux Général Loathsom, avec ses cornes et
sa peau bleue.

— Vous êtes l'abominable Général Kenobi, je présume ? dit Loathsom en retroussant les lèvres dans un sourire victorieux.

Obi-Wan lève les mains en l'air.

— J'abandonne, je me rends !

Les super-droïdes du Général Loathsom encerclent Obi-Wan, et lui confisquent son sabre laser.

En bon Maître Jedi, Obi-Wan a bien étudié son ennemi. Loathsom a la réputation d'être aussi vaniteux que cruel, et le Jedi compte bien en tirer parti.

Obi-Wan attrape une table et des chaises qui avaient été retournées pendant les combats, et invite Loathsom à s'asseoir.

— Ne me faites pas un de vos sales tours de magie, Jedi, dit Loathsom.

— Général, si vous voulez bien vous donner la peine ?

— Vous êtes devenu fou ?

— Mais non, pas du tout. J'ai perdu la bataille, et maintenant, nous pouvons discuter des conditions de ma capitulation, réplique calmement Obi-Wan.

Bien que Loathsom prenne un air sceptique, le Jedi sait qu'il a réussi à capter son attention.

— Je vous assure qu'il n'y a aucune raison de ne pas se comporter comme des gens civilisés.

Le général mord à l'hameçon. Lui aussi, il peut se montrer aussi civilisé qu'un vulgaire *humain.*

— Oui, bien sûr, répond-il. D'un revers de main, il lisse son uniforme, et s'assoit.

— C'est un honneur pour moi d'être à la même table qu'un de mes plus grands opposants. Vous êtes une véritable légende dans toute la bordure intérieure.

— Je vous remercie, Général Kenobi. Je suis ravi que vous ayez choisi de vous rendre plutôt que de vous lancer dans un combat dont l'issue aurait sans doute été déplaisante.

— Eh bien, parfois il faut savoir accepter la

réalité de la situation. Pourrions-nous avoir quelques rafraîchissements ?

Pendant ce temps, Anakin est occupé à tailler en pièces les droïdes qui protègent la zone. Ahsoka, elle, accroche des charges explosives un peu partout sur le dessus du générateur. Elle fixe un interrupteur sur le dernier explosif et le relie à un panneau de contrôle. Tous les dispositifs se mettent à clignoter, et la jeune fille allume son sabre laser pour aller rejoindre Anakin.

Les droïdes sont en train d'encercler le jeune Jedi, et le font reculer contre le mur d'un bâtiment en ruine. Ahsoka examine le mur, et aperçoit une petite fenêtre en hauteur. Elle a soudain une idée pour sortir Anakin du piège tendu par les droïdes.

— Ne bougez pas, Skytruc !

— Qu'est-ce que tu fais ?

Ahsoka tend la main vers le mur. Elle a appris à utiliser le pouvoir de la Force comme tous les autres Jedi, mais jamais elle n'a essayé sur quelque chose d'aussi gros.

— Non, Ahsoka, non ! Ne fais pas ça !

La jeune fille ne fait plus qu'un avec la Force, et concentre toute sa volonté sur l'énorme masse de pierre. Le mur se soulève et flotte dans les airs pendant quelques secondes, avant de venir s'écraser sur tous les droïdes qui menacent Anakin. Le jeune Jedi a du mal à croire que le mur est tombé sur lui à l'endroit où il restait une fenêtre ! Il est sauvé !

Mais il est quand même furieux après Ahsoka.

— Tu aurais pu me tuer avec tes bêtises !

Obi-Wan sirote tranquillement une tasse de thé avec Loathsom. Il tente de gagner du temps en parlant sans cesse, pour distraire le général.

— Et, bien sûr, lorsque vous aurez pris le

contrôle de mes troupes, il faudra également leur fournir un logement et de la nourriture. Mais au fait, avez-vous assez de matériel pour…

— Arrêtez, Jedi ! J'en ai assez ! Je vois bien que vous essayez de faire diversion ! hurle Loathsom en tapant du poing sur la table.

— Vous vous trompez, général. Je vous assure qu'il y a beaucoup de détails à régler.

Mais Loathsom se lève et ordonne à ses droïdes de s'emparer d'Obi-Wan.

— Je suis obligé de vous tuer, Maître Kenobi, à moins que vous ne rappeliez vos troupes sur-le-champ !

— Pour être tout à fait honnête avec vous, j'espérais que votre bouclier serait déjà désactivé. Mais comme ce n'est toujours pas le cas, je vais devoir passer au plan B, répond calmement Obi-Wan.

Et en une poignée de secondes, le Jedi effectue un saut périlleux par-dessus les droïdes. Il atterrit derrière eux, et utilise la Force pour les projeter les uns contre les autres !

Il profite de la panique pour foncer sur le Général Loathsom. Il passe derrière lui et le tient fermement par le cou. Les droïdes encore debout reculent d'un pas. Ils hésitent à tirer : ils pourraient blesser leur général au lieu du Jedi.

— Je sais très bien ce que je fais, Maître, explique Ahsoka à Anakin.

— J'avais la situation en main, et je n'avais pas besoin que tu viennes m'aider, répond le Jedi, agacé.

— Mais quand même ! Vous pourriez reconnaître que je vous ai sauvé la vie !

Anakin ne répond pas. Il y a plus important à faire pour l'instant.

— Est-ce que tu as mis les charges en place?

— Oui.

— Alors qu'est-ce que tu attends ?

Ahsoka hoche la tête, et presse le détonateur. *BOUM !* Toutes les charges explosent en même temps, et détruisent le bouclier dans un grondement gigantesque.

Dans le poste de communication, Obi-Wan entend la détonation, et aperçoit le bouclier se dissiper. Il sourit.

— Tiens, on dirait qu'il se passe quelque chose d'intéressant là-bas, général, dit-il.

Loathsom est furieux, mais il ne peut plus rien faire. Ses droïdes se regardent, complètement désorientés.

L'Amiral Yularen apparaît en hologramme sur la console du poste de communication.

— Général Kenobi, j'espère que vous m'entendez. Nous avons passe les barrages, l'armée Séparatiste bat en retraite. Les renforts devraient arriver vers vous dans quelques instants, dit-il.

Obi-Wan aperçoit au loin des vaisseaux de la République qui s'apprêtent à atterrir. Des chasseurs Jedi s'occupent d'éliminer les dernières navettes droïdes encore sur place.

— C'est fini pour vous, général. Maintenant c'est à mon tour de négocier le traité de paix. Commencez par dire à vos troupes de déposer les armes, dit le Jedi à Loathsom, toujours maintenu par le cou.

— Nous nous rendons ! crie avec rage le général.

CHAPITRE 6

Jabba le Hutt

Ahsoka se laisse tomber sur le dos au milieu du champ de ruines. Elle est heureuse d'avoir réussi sa mission, mais la peur l'envahit quand elle repense à cette journée. Elle se dit que c'est de sa faute si les droïdes les ont repérés, car elle n'a pas pris assez de précautions. Et même si elle a sauvé Anakin et qu'elle a rattrapé son erreur, cela l'a rendu furieux. Pourvu qu'elle ne soit pas renvoyée au Temple Jedi !

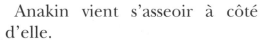

Anakin vient s'asseoir à côté d'elle.

— Tu es complètement inconsciente, jeune apprentie. Tu n'aurais jamais pu être la padawan d'Obi-Wan, mais je crois que tu seras très bien avec moi, dit-il en souriant à la jeune fille.

Le bruit d'un croiseur Jedi emplit l'atmosphère. Il vient se poser près d'eux, et le cockpit s'ouvre sur le capitaine Rex.

— Bon boulot, Général Skywalker. Et toi aussi, gamine.

Ils s'envolent tous les trois vers l'orbite de la planète et atterrissent sur la rampe de lancement d'un vaisseau Jedi. Obi-Wan et Maître Yoda sont là pour les accueillir.

— Maître Obi-Wan. Maître Yoda, dit Anakin en s'inclinant.

— Mmm. Des ennuis avec ta jeune padawan, tu as.

Ahsoka lance un regard inquiet vers Anakin. Est-ce qu'elle a vraiment des problèmes ?

— J'étais en train d'expliquer la situation à Maître Yoda, dit Obi-Wan.

— Si prêt pour entraîner une padawan tu n'es pas, alors peut-être Obi-Wan…

— Attendez une minute ! Je reconnais qu'Ahsoka est un peu difficile à contrôler. Mais je suis persuadé qu'avec de la patience et de l'entraînement elle parviendra à de bons résultats.

La jeune fille sourit en entendant les compliments du Jedi, alors que Yoda et Obi-Wan échangent un regard entendu. C'est exactement la réaction qu'ils attendaient de la part d'Anakin.

— Dans ce cas, sur la planète Teth, partir avec toi, elle doit.

— Teth ? Mais c'est à l'autre bout de la Galaxie ! Il n'y a pas le moindre Séparatiste là-bas ! proteste Anakin.

— Kidnappé, le fils de Jabba le Hutt, a été.

Anakin soupire : il connaît bien Jabba, cette espèce de gangster qui sent aussi mauvais qu'une carcasse de tauntaun en décomposition.

— Vous me demandez de sauver le fils de Jabba ?!

— Anakin, nous avons besoin du soutien des Hutt pour pouvoir lutter contre Dooku, explique Obi-Wan.

Le jeune Jedi fronce les sourcils en entendant le nom du Comte Dooku. Cet ancien Jedi a tourné le dos à tout ce qu'il avait appris, et a choisi le Côté Obscur de la Force. Anakin et Obi-Wan se sont déjà battus contre lui, et le jeune Jedi a payé le prix fort, en se faisant trancher la main droite par Dooku. Sa nouvelle main mécanique fonctionne presque comme l'ancienne, mais au fond de lui, Anakin brûle d'un désir de vengeance.

— Le traité avec Jabba, Obi-Wan négociera. Trouver les bandits qui détiennent le fils de

Jabba, ta mission sera, jeune Skywalker.

Anakin ne partage pas la joie d'Ahsoka... Pour elle, sauver un enfant est une mission excitante, même si cet enfant est couvert de boue et sent mauvais.

— Venez, Maître. Ce n'est pas si terrible que ça ! Je vais chercher le capitaine Rex, et dire aux troupes de se préparer ! s'écrie Ahsoka en courant vers les clones.

— Ne t'inquiète pas, Anakin. Contente-toi de lui apprendre tout ce que je t'ai appris, et ça se passera bien, dit Obi-Wan.

— Vous savez, j'ai l'impression que c'est ce que vous souhaitez depuis le début. Je veux dire, que je forme une padawan.

Mais Obi-Wan ne répond pas. En fait il n'en a pas besoin. Anakin voit la réponse dans les yeux de son ancien Maître. Il secoue la tête en souriant, et saute dans son vaisseau.

Ce n'est peut-être pas la mission la plus

motivante, mais après tout, il est un Chevalier Jedi.

Et maintenant, il ne fait plus cavalier seul. Sa padawan l'accompagne...

La planète Tatooine se trouve sur la lointaine bordure extérieure de la Galaxie. Elle est tellement éloignée que la République ne s'occupe même pas de son existence. Sur cette terre désertique brillent deux soleils le jour. Il fait une chaleur insupportable, mais les nuits sont glaciales.

La plus grande construction de Tatooine est le palais des Hutt, une structure de pierre et de métal. Le palais du gros et gras seigneur du crime, Jabba le Hutt, n'est vraiment pas l'endroit idéal pour un Jedi. C'est exactement ce que ressent Obi-Wan, envoyé ici pour négocier un traité avec la République.

Les Jedi doivent retrouver le fils de Jabba, et, en échange, celui-ci leur garantira un accès sécurisé dans l'espace galactique des Hutt.

Obi-Wan explique posément l'accord à l'aide du droïde de protocole de Jabba, le TC-70. C'est un robot d'apparence humaine, avec des yeux ronds et brillants, qui lui donnent un air ahuri en permanence.

— Nous ne vous laisserons pas tomber, conclut Obi-Wan.

Le Jedi se trouve dans la salle du trône de Jabba. Il a vu toute sorte de choses horribles dans la Galaxie, mais il n'arrive toujours pas à regarder le répugnant Hutt pendant longtemps sans être dégoûté. Jabba ressemble à un énorme ver de terre, mais avec une grosse tête, une bouche baveuse et un corps ridé qui se termine par une queue sans pattes. Ses yeux jaunes de reptile fixent froidement Obi-Wan.

— Ahhh… Wowoga sleemo maka peedunkee mufkin, répond celui-ci.

Le TC-70 se charge de la traduction.

— Sa Majesté Jabba n'a qu'une seule condition. Il demande que vous capturiez l'horrible personnage qui a kidnappé son… petit muffin.

— Muffin ? dit Obi-Wan en se retenant de rire.

— Neechootu tawntee sabeeska ! grogne Jabba.

— Mort ou vif, précise le droïde.

— Oh. Wotoki ka rotta, Dooku droi separahtee wan!

Le droïde fixe Obi-Wan droit dans les yeux.

— Il dit que si vous n'y parvenez pas, le Comte Dooku et son armée Séparatiste le feront.

Le Jedi s'incline devant Jabba et quitte calmement la salle du trône. La balle est dans le camp d'Anakin et Ahsoka maintenant. Ils sont partis avec Rex et une petite armée de clones, et ont embarqué à bord d'un vaisseau transportant cinq navettes Jedi. Ils sont presque sûrs que Rotta, le fils de Jabba, a été emmené sur la planète Teth, également dans la bordure extérieure. Ils arrivent dans l'orbite de la planète, et les cinq chasseurs Jedi s'envolent hors du vaisseau principal comme des oiseaux de métal.

Anakin et Ahsoka ont pris place dans la première navette. Ils écoutent Obi-Wan en hologramme.

— Voila comment ça se présente. Jabba ne nous a laisse qu'une journée pour retrouver son fils et le ramener sur Tatooine.

— Ça ne prendra pas autant de temps, Maître, répond Anakin, sûr de lui, comme d'habitude.

— Faites extrêmement attention. Nous ne savons pas qui détient le fils de Jabba. Je vous rejoindrai dès que j'aurai terminé les négociations avec lui.

— Nous n'avons pas besoin d'aide. Ahsoka est avec moi, répond Anakin en souriant.

— Dans ce cas, elle pourra peut-être t'aider

si tu as des ennuis, plaisante Obi-Wan.

La jeune fille regarde la planète Teth depuis la vitre du vaisseau. La surface est recouverte par une jungle humide. Elle distingue au loin un grand palais tout en haut d'un plateau rocheux. Voilà leur destination : un palais Hutt abandonné. L'escadron de chasseurs se met en formation pour amorcer la descente dans l'atmosphère. Le plan est simple : ils se posent, fouillent le palais de fond en comble et repartent avec le fils de Jabba vers Tatooine.

Anakin regarde sa jeune apprentie, et voit dans ses yeux qu'elle se sent prête, quoi qu'ils puissent rencontrer en bas.

Soudain, un tir de canon laser frappe leur navette de plein fouet ! Lorsque ils se penchent à la fenêtre, ils aperçoivent une pluie de rayons laser arriver en direction du vaisseau.

— Maître Kenobi, nous sommes attaqués ! crie Hawk, le clone pilote du chasseur.

— Activez les boucliers de défense, Lieutenant ! Et sortez-nous de là !

Une épaisse armure recouvre le vaisseau, le plongeant dans l'obscurité, le temps que les lumières d'urgence s'allument. Les tirs de lasers continuent à cogner contre le bouclier.

Ça ne s'annonce pas aussi facile que prévu, se dit Ahsoka.

Les cinq vaisseaux préparent leurs canons.

— À tous les vaisseaux, attendez mon signal ! crie Rex.

Tous les équipages se rassemblent devant les portes, prêts à sortir dès qu'ils auront atterri. Puis ça y est, les chasseurs foncent en piqué, pénètrent l'atmosphère de Teth et atteignent rapidement la jungle.

— Bienvenue au paradis ! plaisante Hawk.

Les troupes sortent rapidement des vaisseaux et se précipitent dans la jungle dense.

— Maintenant ! *Go ! Go ! Go !* dit Rex.

Anakin et Ahsoka suivent les clones et arrivent bientôt au pied du plateau rocheux couvert de végétation.

Lorsque Ahsoka lève la tête pour apercevoir le palais au-dessous d'eux, elle est soudain aveuglée par une puissante lumière. Ce sont des tirs de rayons laser qui viennent d'en haut du plateau. Ils sont attaqués dans la jungle !

CHAPITRE

7

L'attaque

La jeune fille allume rapidement son sabre laser pour contrer les tirs ennemis qui pleuvent sur leurs têtes.

— Concentrez les tirs sur le secteur 113-742-65, dit le commandant des droïdes sur le plateau.

— 113 ? Où est cette zone ? demande un sergent.

— Contentez-vous de tirer vers le bas, soldat !

Les droïdes ne sont peut-être pas très intelligents, mais ils ont l'avantage d'être en position stratégique. De son côté, Anakin possède aussi un atout : des RT-TT. Des droïdes tout terrain qui marchent sur six pattes et qui sont équipés de puissants canons laser. Ils tirent sans relâche vers le plateau, et font tomber plusieurs droïdes.

Anakin dirige les clones vers un rebord de pierre sous lequel ils filent s'abriter du feu des lasers. Le jeune Jedi sait qu'ils ne peuvent pas se cacher éternellement et décide donc de grimper le long de la paroi rocheuse.

— Bon, c'est maintenant qu'on va s'amuser, dit Ahsoka.

— Le premier en haut a gagné ! crie Anakin.

— Je vous laisse un peu d'avance, Maître ! plaisante la jeune fille.

— Tant pis pour toi, tu vas perdre, Ahsoka !

Le jeune Jedi sort de la cachette et commence son ascension vers le sommet.

— Parés à tirer ! ordonne le capitaine Rex.

Les soldats arment leurs fusils avec des crampons, et tirent en direction du plateau. Ils montent rapidement le long de la paroi.

— Je suis juste derrière vous, Maître ! crie Ahsoka en s'agrippant aux plantes.

La jeune fille est déterminée à dépasser Anakin.

Quatre droïdes descendent en piqué le long de la paroi sur des STAP, des engins volants équipés de puissants canons laser et foncent tous vers Ahsoka. Ils tournent autour d'elle et sont sur le point de lui porter le coup de grâce… lorsque Anakin, qui a suivi la scène, se laisse glisser le long de la paroi, et atterrit sur le dessus du RT-TT. Ahsoka le regarde bondir sur un des STAP et le projeter sur un autre. Le Jedi attaque ensuite le troisième et éjecte le pilote pour en prendre le contrôle. Il fonce vers le dessus du plateau en tirant sur les droïdes.

— Allez, dépêche-toi un peu ! crie-t-il en souriant lorsqu'il passe près d'Ahsoka.

— C'est pas juste ! répond la jeune fille en se hissant sur le dessus du RT-TT.

Anakin vise en priorité les droïdes araignée et ouvre une brèche pour Rex et ses hommes.

— Remets ce truc en marche ! crie Ahsoka au pilote resté à l'intérieur du RT-TT.

Anakin se débarrasse du STAP et parvient enfin à monter sur le plateau, où il est immédiatement accueilli par une armée de droïdes.

— Rends-toi, Jedi ! ordonne le commandant des rebelles.

Mais Anakin active son sabre laser et fonce droit dans la foule de droïdes en distribuant des coups de tous les côtés. Le sol est bientôt jonché de débris de robots, mais le Jedi n'a pas le temps de se reposer, car trois destroyers arrivent vers lui.

— C'est pas vrai, où tu es, Ahsoka ? Je t'avais dit de rester à côté de moi ! crie Anakin.

Seul contre les trois puissants robots qui se mettent en position de tir, Anakin aurait voulu avoir l'appui de la jeune fille. Mais soudain, un violent tir de canon laser fait voler en éclat les trois destroyers d'un seul coup. Le Jedi se retourne, stupéfait, et voit Ahsoka assise dans la cabine du RT-TT.

— Je vois mal comment je pourrais être plus prêt, Skytruc !

— Je savais que je pouvais compter sur toi, petite ! dit Anakin en souriant.

— On dirait que je suis votre ange-gardien! répond-elle.

— La zone est dégagée, Maître Skywalker, confirme le capitaine Rex.

Anakin et la jeune fille contemplent l'étendue de droïdes coupés en morceaux, pendant que, depuis le palais, quelqu'un les observe en souriant, caché sous une cape.

— Tout se passe comme prévu, murmure le mystérieux personnage.

CHAPITRE

8

Le palais

Anakin et Ahsoka sont perplexes. Qu'est-ce que font ces droïdes Séparatistes aussi loin dans la Galaxie, sur cette planète perdue ?

— Il y a bien trop de droïdes ici. Ce ne sont pas des dissidents de l'armée Séparatiste, c'est impossible. Je suis persuadé que le Comte Dooku est derrière tout ça. Il faut trouver le fils de Jabba et partir d'ici le plus vite possible.

— Il n'y a pas de problème. Nous avons fait le plus dur, répond Ahsoka.

— Ne dis pas ça, tu pourrais nous porter malheur.

Le jeune Jedi et le capitaine Rex montent un plan. Ils décident de laisser la majorité des clones hors du palais, pour être prêt en cas d'attaque. Puis ils emmènent chacun quatre clones avec eux.

La lourde porte d'entrée s'ouvre facilement, et mène à un long et sombre couloir. De nombreuses alcôves sont creusées dans les murs et représentent des menaces potentielles pour les Jedi. Les clones allument les lumières de leurs casques et continuent leur progression.

— Je ne me sens pas trop à l'aise ici, ça me donne la chair de poule, dit Rex.

— Moi, ça me fait penser à ces monastères que j'ai étudiés quand j'étais au Temple Jedi, répond la jeune fille.

— Des trafiquants comme Jabba ont conquis ces monastères et en ont fait des cachettes personnelles, explique Anakin.

— Et les moines les ont laissés faire ?

— Les criminels comme lui parviennent toujours à leurs fins, Ahsoka, répond le Jedi, le visage tendu.

Parler de Jabba lui rappelle qu'il a passé sa jeunesse comme esclave d'un Hutt. Mais c'est un souvenir tellement désagréable qu'il ne veut pas en parler.

Un droïde apparaît soudain au détour du couloir. C'est un robot d'apparence humaine, mais entièrement en argent, avec de grands yeux globuleux. Anakin active son sabre laser par précaution.

— Ami ou ennemi, Maître ? demande à voix basse Ahsoka.

— Qui es-tu ? dit Anakin au droïde.

— Je suis juste le domestique ici, cher monsieur. Vous m'avez libéré de ces horribles robots de combat, et je vous en remercie, répond le droïde.

— Où est le Hutt ?

— Les droïdes gardent leurs prisonniers au sous-sol. Mais je dois vous prévenir que c'est très dangereux de descendre là-dessous. Ce n'est pas un endroit pour une servante, dit-il en pointant Ahsoka du doigt.

— Est-ce qu'une servante porte ça sur elle ? s'exclame la jeune fille en dégainant son sabre laser. Je suis un Jedi... enfin presque !

— Je vous demande pardon, jeune demoiselle, dit le droïde en s'inclinant.

Ahsoka se met en route la première, fière de l'effet qu'elle vient de produire.

— Capitaine, nous allons chercher le Hutt. Restez ici, et faites attention à vous.

— Compris, Maître Skywalker.

Le droïde regarde Anakin et Ahsoka descendre les marches qui mènent au sous-sol. Rex est tendu, il n'a pas vraiment confiance en ce robot. Est-ce qu'il cache quelque chose ?

C'est sans doute un reflet de la lumière de mon casque, se dit le capitaine des clones pour se rassurer. Mais il garde quand même son fusil laser près de lui.

Pendant qu'Anakin et Ahsoka parviennent rapidement au sous-sol, une silhouette encapuchonnée se faufile dans une pièce secrète du palais. Une petite faction de super droïdes de combat est massée dans la salle, et s'écarte lorsque la mystérieuse personne entre. Deux sabres laser dépassent de sa ceinture.

Asajj Ventress rejette son capuchon en arrière et révèle un crâne rasé tatoué de lignes noires. Elle se sert de cette apparence impressionnante pour effrayer ses adversaires. Le style d'un disciple du Côté Obscur de la Force…

Elle sort un projecteur holographique de sa cape, et fait apparaître l'image du Comte Dooku.

— Ils sont entrés dans le monastère, Maître. Skywalker est ici, et il cherche le Hutt.

— Bien joué, Ventress. Tout se déroule comme prévu.

— Je pourrais facilement me débarrasser d'eux maintenant.

Le plan de Dooku ne l'intéresse pas vraiment, si ce n'est pour pouvoir approcher le Jedi, qu'elle a déjà failli tuer une fois lors d'une précédente rencontre.

— Patience, patience ! Faites d'abord ce que je vous ai demandé, et vous pourrez bientôt prendre votre revanche, dit Dooku.

L'hologramme s'éteint et un droïde de combat s'approche de Ventress.

— Maître, le Jedi est entré dans le donjon.

Anakin et Ahsoka marchent dans les couloirs sans fin du palais. Ahsoka aperçoit du coin de l'œil deux droïdes de combat qui attendent cachés.

— Maître, vous savez très bien que c'est un piège, murmure-t-elle.

— Oui, Ahsoka.

— Nous venons de passer devant deux autres droïdes !

Est-il possible qu'il ne les ait pas vus ? se dit-elle.

— Je sais bien.

— Ah oui ? Eh bien je n'aime pas ça. Est-ce que je peux m'occuper d'eux ?

— Si tu t'en sens capable, vas-y, répond le Jedi en haussant les épaules.

La jeune fille active rapidement son sabre laser et tranche les canons laser des droïdes d'un geste vif. Puis, avant qu'ils aient pu réagir, elle les découpe en deux.

— Tu te débrouilles plutôt bien. Et tu t'es souvenue qu'il faut détruire les armes en pre-

mier, je suis impressionné.

— J'améliore votre technique, maître !

Un troisième robot arrive discrètement derrière Ahsoka, et Anakin a juste le temps de lui asséner un rapide coup de sabre.

— Par contre, tu as juste oublié celui-là !

— Je l'avais laissé pour vous !

Ils s'approchent de la porte d'une cellule.

— Je sens que notre Hutt n'est pas loin d'ici, dit Anakin.

— Euh, oui. Je crois que je sens son odeur ! répond la padawan avec un sourire.

Anakin ouvre doucement la porte. Il est là, assis sur le sol gelé du donjon. Une véritable version miniature de Jabba, qui crie et qui pleure.

— Il est bien plus jeune que je pensais.

— C'est encore un bébé. Ça va nous fa-

ciliter la tâche. Et il est tellement mignon !
répond la jeune fille.

— Attend un peu qu'il grandisse, et on
verra si tu diras la même chose.

Ahsoka se penche vers Rotta, qui pleure
toujours. Anakin contacte le capitaine des
clones.

— Nous avons trouvé le fils de Jabba, Rex.
Est-ce que tu as des nouvelles du Général
Kenobi ?

— Non, Maître, aucune.

La jeune fille essaie de prendre Rotta dans
ses bras, mais le petit Hutt se débat en
criant.

— Maître, mon entraînement de Jedi ne
m'a pas préparée à ça. Qu'est-ce qu'on va
faire ?

— Voilà ce qu'on va faire, Ahso-ka. Puisque tu trouves cette larve à ton goût, c'est toi qui vas la porter.

Ahsoka veut dire quelque chose mais elle se ravise. Si elle est un vrai Jedi, comme elle le pense, elle ne devrait pas reculer devant une mission aussi facile. Elle attrape fermement Rotta et le serre contre elle pour qu'il ne glisse pas. Il n'est pas si lourd que ça, finalement.

Ahsoka suit Anakin hors du donjon. Ils retrouvent Rex et les clones, puis foncent dans le couloir qui mène à la sortie.

Anakin s'arrête d'un coup.

— Alors, tu l'aimes toujours autant ta petite larve ?

— En fait, il me fait de plus en plus penser à vous!

Rotta regarde Anakin et émet une sorte de gargouillis.

— Vous voyez ? Vous vous ressemblez vraiment.

— Alors tu devrais nous porter tous les deux, répond le jeune Jedi.

Le petit Hutt se met à tousser violemment. Il semble avoir de la fièvre.

— Maître, je pense que le bébé est malade, son front est brûlant.

Anakin l'examine. En effet, ses yeux sont humides et sa langue est plus fine qu'elle ne devrait être.

— Tu as raison, nous devons rejoindre le vaisseau le plus vite possible ! Soldat, trouvez-moi un sac à dos !

Anakin et Ahsoka installent difficilement le bébé dans le sac. Il se débat et hurle de toutes ses forces.

— Je déteste les Hutt ! peste Anakin.

S'il n'avait pas été aussi occupé avec le bébé, Anakin aurait senti aussitôt une perturbation dans la Force. Il aurait dû sentir la présence de Ventress, cachée dans l'ombre. Debout à côté d'elle, le droïde argenté enregistre les moindres faits et gestes d'Anakin à l'aide de ses yeux équipés de caméras.

CHAPITRE 9

Chantage

De retour sur la planète Tatooine, le Comte Dooku pénètre dans la salle du trône de Jabba le Hutt. Dooku a le visage pâle et maigre, et il porte une longue cape noire avec une capuche. Il s'incline avec respect devant le seigneur du crime.

— Cher Jabba, j'ai des informations pour vous. J'ai découvert que c'est un Jedi qui a kidnappé votre fils.

— Dooku wana jeemeeshka !

— Il demande comment vous avez obtenu ce renseignement, traduit le TC-70.

— J'ai mes sources, que je garde secrètes, répond le Comte. Mais pour en revenir à ce qui nous intéresse, je viens pour vous prévenir que les Jedi veulent vous tuer.

— Uhh ! Woonka mee cheeskoh ! crie Jabba, furieux.

— Son Altesse Jabba demande des preuves.

— Et il a le droit d'en avoir, répond Dooku.

Le Comte sort un projecteur holographique de sa cape, et projette un enregistrement, qui montre Ahsoka et Anakin cacher Rotta à l'intérieur d'un sac. On entend même Anakin dire qu'il déteste les Hutt !

Jabba ouvre grand les yeux. Il est fou de rage !

— Comme vous pouvez le voir, c'est bien ce Jedi qui a enlevé votre fils. Et c'est le même qui complote contre vous, continue calmement Dooku.

— JEDI POODOO ! hurle le Hutt.

— Mon armée de droïdes a déjà commencé son offensive pour sauver Rotta. Soyez assuré, puissant Jabba, que nous sauverons votre fils.

— Hmm. Eniki bargon Dooku, cheecopa wungee naga ? s'inquiète Jabba.

— Le puissant Jabba demande ce que vous souhaitez en retour, traduit le droïde de protocole.

C'est le moment qu'attendait le Comte depuis le début. Un sourire mauvais se dessine sur son visage.

— Vous pourriez peut-être songer à nous rejoindre dans notre combat contre la République, suggère-t-il.

Le Delta 7 d'Anakin se pose dans la cour du palais. R2-D2 pilote la navette depuis l'extérieur et projette un hologramme d'Obi-Wan devant Anakin.

— Anakin, est-ce que tu as localisé le fils de Jabba ?

— Nous l'avons avec nous, mais on dirait que ce sont les Séparatistes qui l'avaient kidnappé. À mon avis, ça sent le Comte Dooku à plein nez.

— Je crois que c'est le petit Hutt que vous sentez, plaisante Ahsoka.

— Je parie que Dooku nous utilise pour rallier Jabba à la cause des Séparatistes, dit Obi-Wan en fronçant les sourcils.

— Maître Kenobi, nous avons un autre problème. Ce Hutt est très malade, continue Ahsoka.

— Je ne suis pas sûr que nous puissions le ramener sur Tatooine vivant. Cette opération sauvetage pourrait nous retomber dessus. De plus, je reste persuadé que ce n'est pas une bonne idée de négocier avec les Hutt, ajoute Anakin.

— Anakin, tu sais comme moi que les

Hutt contrôlent les routes commerciales de la bordure extérieure. La coopération de Jabba est cruciale pour notre offensive contre les Séparatistes, explique Obi-wan. Si jamais il arrive quelque chose à son fils, nous pourrons dire adieu au traité.

Des flashs de lumière apparaissent soudain dans le ciel de Teth.

— Maître ! Nous avons des ennuis ! crie Ahsoka.

En effet, un vaisseau Séparatiste perce les nuages de la planète et s'approche de la cour du palais. Des navettes de combat l'entourent.

— En position de défense ! crie le capitaine Rex.

— Je vous contacte plus tard, Maître Kenobi. Nous sommes attaqués ! Nous aurions bien besoin d'un peu d'aide, si vous avez le temps !

— J'arrive dès que je peux ! Prends bien soin du petit Hutt, Anakin !

Les chasseurs ennemis descendent en piqué vers le palais comme des abeilles sorties d'une ruche. Chaque vaisseau porte les couleurs bleues et blanches de l'armée Séparatiste. Ils sont assez petits mais équipés d'un impressionnant arsenal de canons laser et de lance-missiles.

Les clones tirent sur les chasseurs mais ils sont bien trop nombreux et rapides. Un des vaisseaux fait exploser la navette d'Anakin, et le pauvre R2-D2 est éjecté.

Anakin cherche un moyen de s'échapper. Il regarde les portes du palais, pendant qu'une nouvelle armée de droïdes marche vers eux.

— Rentre à l'intérieur ! crie-t-il à Ahsoka.

La jeune fille attrape Rotta sous son bras et fonce vers le palais en évitant la pluie de rayons laser.

Un RT-TT recule vers les portes du palais en essayant de contenir l'assaut, mais il est attaqué par plusieurs droïdes araignée qui le mitraillent de rayons laser. Le droïde ne tarde pas à s'effondrer, et l'armée de robots envahit la cour.

— Reculez ! Reculez ! ordonne Anakin.

Les clones, dépassés par les événements, reculent dans le palais en tirant comme ils peuvent. Rex se précipite dans le palais et parvient à fermer les lourdes portes de métal. Anakin est le dernier à rentrer, et il est obligé d'effectuer un saut périlleux par-dessus la porte.

Le jeune Jedi est à bout de souffle.

— Capitaine, nous allons rester ici jusqu'à l'arrivée du Général Kenobi et des renforts.

— Maître, vous croyez vraiment que nous allons réussir à les retenir ? Nous devons trouver un moyen de sortir d'ici.

— Nous devons avant tout protéger le petit Hutt. C'est donc ce que nous allons faire, Ahsoka, répond fermement Anakin.

— Notre mission est de ramener ce Hutt sur

Tatooine, et nous n'avons pas beaucoup de temps, vous le savez bien.

La jeune fille jette un regard inquiet sur le bébé, dont la peau a changé de couleur. Ahsoka a raison sur ce point. Si jamais ils restent ici sans rien faire, Rotta n'arrivera pas vivant auprès de Jabba. Et ça, ce serait une mauvaise nouvelle pour la République.

— Je suppose que tu as un plan ?

— Oui, je pense. Il faut se servir de R2.

Le petit droïde émet un bip pour répondre.

— Très bien, jeune padawan. Je te fais confiance sur ce coup-là, dit Anakin. Capitaine, retenez-les aussi longtemps que vous pourrez.

— Compris, Maître !

Anakin pénètre dans le palais accompagné d'Ahsoka et de R2-D2, et s'enfonce rapidement dans les profondeurs. Ils doivent à tout prix trouver une issue, avant que les droïdes ne viennent les chercher...

Après quelques instants, ils arrivent à la salle du trône. Dans chaque palais de Hutt, il y en a une, et la jeune fille est persuadée qu'il y aura également un ordinateur.

Bien vu !

R2-D2 s'avance vers la console, et se connecte à un port de la machine à l'aide d'une petite interface.

— Si jamais il y a un moyen de sortir d'ici, R2 va nous le dire, dit la jeune fille.

— Fais vite, murmure Anakin.

Le Jedi jette un œil vers Rotta, toujours dans le sac à dos d'Ahsoka. Le petit Hutt s'est endormi, et la jeune padawan est courbée sous son poids.

— Pose le bébé par terre, Ahsoka. C'est une dure journée, tu dois être fatiguée.

— Je suis capable de le porter, Maître. Je ne me sens pas fatiguée.

— Comme tu veux, répond le Jedi. Simplement, je ne comprends pas pourquoi tu ne m'écoutes jamais.

— Je fais de mon mieux, Maître, mais je déteste être traitée comme une gamine.

— Il faut que tu sois patiente. Et d'abord, qu'est-ce que tu cherches à prouver ?

— Je veux vous montrer que je ne suis

pas trop jeune pour être une padawan.

Anakin lui pose la main sur l'épaule pour la réconforter.

— Tu sais, Ahsoka, un jour, un très grand Maître Jedi a dit que rien dans l'univers n'arrive par accident. C'est la Force qui a voulu que tu sois à mes côtés, et je veux juste te protéger du mieux possible.

C'est exactement ce que la jeune fille attendait. Elle avait peur qu'Anakin la renvoie au Temple Jedi, mais en fait, on dirait qu'il l'aime bien. Elle dépose doucement le petit Hutt par terre, et au même moment, une énorme explosion retentit dans tout le palais.

— C'est mauvais signe, dit le Jedi.

Les droïdes de combat ont sans doute réussi à faire sauter la porte d'entrée. Il faut faire vite !

Heureusement R2-D2 vient de trouver quelque chose d'intéressant. Il émet des bips pour manifester sa joie, et projette un hologramme devant Anakin et la jeune fille, qui représente une vue de l'extérieur du palais. On voit clairement une aire d'atterrissage sur un des côtés du palais.

— Une plate-forme cachée ! s'exclame Ahsoka.

— Dès que nous sommes là-bas, il faut appeler un vaisseau de combat. R2, on te suit !

Anakin jette un œil au sac à dos. Il est vide !

— Où est passée la limace ?

— C'est vous qui m'avez dit de le poser ! crie la jeune fille.

— Eh bien trouve-le maintenant !

Par chance, ils n'ont pas besoin de chercher trop loin. Le petit Hutt s'est faufilé sous le trône et il gazouille joyeusement.

— Viens ici, espèce de vers de terre ! dit Anakin. On va voir si tu t'échappes cette fois !

Il attrape le Hutt par la queue et le coince dans le sac à dos, en s'assurant qu'il ne glisse pas.

Ils se remettent en route, quand soudain

la voix de Rex grésille dans l'appareil d'Anakin.

— Rejoignez-nous. Nous avons capturé les droïdes, Maître.

Le jeune Jedi s'apprête à répondre, mais il s'arrête net. Il y a quelque chose qui cloche, comme une perturbation dans la Force. Il le sent claire-ment à présent.

— Maître, nous avons capturé les droïdes.

Anakin est perplexe, cette voix… ça ne res-semble pas du tout à Rex.

— Quelle est votre position ? continue la voix.

Le Jedi comprend en quelques secondes ce qui se passe.

— C'est Ventress, chuchote-t-il. Il n'y a pas de doute.

C'est bien le Côté Obscur de la Force qu'il perçoit. Anakin s'en était approché de très près dans le passé. Si près qu'il s'était juré de ne jamais l'oublier.

— L'assassin qui travaille pour le Comte Dooku ? demande Ahsoka.

— Elle n'est ici que pour une chose. Elle veut tuer le Hutt, répond Anakin. Viens, on y va.

Tout est clair maintenant. Rotta meurt, on rejette la faute sur les Jedi, et Dooku se fait un nouvel allié de poids.

Ils foncent vers l'escalier mais c'est trop tard. Ventress est déjà arrivée. Elle descend calmement les marches, entourée de quatre super droïdes de combat, et d'une faction de droïdes légers.

Le piège se referme, il n'y a nulle part où aller. *WOOM !* Anakin et Ahsoka font jaillir leurs sabres laser, et se préparent au combat. La jeune fille sent un frisson lui parcourir le dos lorsqu'elle remarque le sourire maléfique de Ventress, mais elle tient fermement son arme.

Ventress dégaine elle aussi ses deux sabres laser, qui illuminent la pièce d'une sinistre couleur rouge sang. Anakin et sa jeune apprentie jaugent leur ennemie. Ils font face à la disciple du Côté Obscur de la Force en plein milieu de la salle du trône.

— Maître Skywalker, cela fait si longtemps que j'attends de vous rencontrer à nouveau, dit Ventress d'une voix glaciale. Je vois que vous vous êtes trouvé un animal de compagnie.

— Faites attention, elle mord, répond Anakin.

— Je ne suis pas un animal ! crie la jeune fille.

— Allons Skywalker, donnez-moi donc le Hutt. Je vais vous tuer en premier pour que vous n'assistiez pas à la mort de cette stupide gamine.

Pendant ce temps, R2-D2 en profite pour se reconnecter à la console. Il émet quelques bips, puis actionne une commande d'ouverture. Le sol de la salle du trône s'ouvre soudain sous leurs pieds !

Anakin bascule dans le trou avec Ahsoka,

Ventress et les droïdes, pendant que R2-D2 se charge de pousser un des super droïdes resté sur le bord, en émettant des bips de victoire !

Ventress

Le plan de R2-D2 est radical, mais au moins, cela leur permet de gagner du temps. Ils sont tous tombés dans un long tube de métal qui mène droit à une immense fosse.

Anakin et Ahsoka atterrissent lourdement sur le sol de la fosse. La pièce est sombre et très grande, et ne possède qu'une seule grande porte tout au fond.

Ventress débouche presque aussitôt dans la fosse, suivie de près par les droïdes. Elle ne

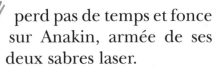

perd pas de temps et fonce sur Anakin, armée de ses deux sabres laser.

— Ahsoka, les droïdes ! crie Anakin.

— OK !

La padawan se précipite sur le premier droïde et effectue un saut périlleux pour atterrir sur la tête du robot, qui ne sait pas comment faire pour s'en débarrasser. Elle en profite pour lui trancher le bras armé du double canon laser, puis elle s'éjecte du robot en lui assénant un violent coup de sabre laser sur la tête.

Anakin sait que sa jeune padawan peut très bien s'en sortir tout seul contre des droïdes. Il se concentre sur Ventress. Elle lui saute dessus avec ses deux sabres, mais Anakin pare le coup.

— Abandonnez maintenant, Ventress. Vous éviterez d'être humiliée, dit Anakin.

— J'ai beaucoup progressé depuis la dernière fois. Laissez-moi vous montrer.

Ventress réunit ses deux sabres laser par les poignées, pour n'en former qu'un seul. Elle le manie avec une grande dextérité, et Anakin est impressionné.

Il cherche une stratégie pour lutter contre cette nouvelle arme redoutable. Il pare les coups les uns après les autres, mais il est obligé de reculer malgré tout, tant les assauts de Ventress sont violents.

Il trouve quand même la force de contre-attaquer, et prend même l'avantage. Il envoie un coup de pied fulgurant en plein milieu des sabres de Ventress, qui se déconnectent et volent chacun à un bout de la pièce.

Ventress ne s'avoue pas vaincue. Elle esquive une attaque d'Anakin et utilise la Force pour le projeter violemment contre le mur. *BAM*, le choc est tel que le Jedi en laisse tomber son sabre.

La disciple du Côté Obscur de la Force s'avance vers lui, en attrapant son arme.

— Préparez-vous à ne faire qu'un avec la Force, Jedi !

Mais au même moment, Ahsoka bondit sur son dos, et la fait trébucher ! Ventress parvient à récupérer son deuxième sabre, et éjecte la jeune fille en quelques secondes. Pendant ce temps, Anakin en profite pour ramasser son arme, et fonce sur Ventress. Il se lance dans un assaut commun avec Ahsoka.

L'air se charge d'électricité lorsque les sabres laser rentrent en contact. C'est Ventress qui réagit la première, en assénant un coup de pied dans le genou d'Anakin, puis en balayant l'air de son sabre devant Ahsoka. La jeune fille évite le coup tant bien que mal, mais elle fait tomber Rotta du sac à dos !

— Le bébé est tombé ! crie-t-elle.

— Va le chercher, je m'occupe de Ventress, dit Anakin en s'interposant entre elles.

Ahsoka attrape Rotta et file vers la porte au fond de la salle. Elle appuie sur un gros bouton rouge, et l'énorme porte s'ouvre doucement en grinçant.

— Oups ! qu'est-ce que j'ai encore fait ?

Une créature immonde apparaît devant elle. Un monstre avec de grandes pattes musclées et un corps couvert de rayures s'avance, tous crocs dehors !

Ahsoka bondit sur le côté pour éviter l'animal en furie qui fonce sur Ventress et Anakin en faisant claquer ses mâchoires. Ils sautent au-dessus de lui et retombent sur son dos tout en continuant leur combat.

La bête s'immobilise, visiblement surprise de ne plus voir ses proies, puis se tourne vers Ahsoka et Rotta.

— Oh, non ! hurle nerveusement Ahsoka.

Anakin assène un premier coup de sabre laser sur le cou du monstre qui se met à hurler, pendant qu'un nouvel escadron de droïdes pénétre dans la fosse.

Ils se jettent dans la bataille sans réfléchir,

et tirent des rafales de rayons laser sur Anakin. Le jeune Jedi renvoie les rayons sur les droïdes à l'aide de son sabre, alors que le monstre recule vers Ahsoka. La jeune fille saisit l'occasion, et lui plante son sabre laser dans la patte.

La bête hurle de douleur, et se cambre sous l'effet de surprise, envoyant par terre Anakin et Ventress.

Fou de rage, l'animal frappe Ahsoka avec sa patte et s'apprête à lui sauter dessus, mais cette fois, elle plante son sabre en pleine tête ! Ventress fonce sur Anakin mais n'a pas vu que le monstre est sur le point de s'écrouler. Lorsqu'elle se retourne, c'est trop tard, la bête lui tombe dessus de tout son poids.

Le Jedi accourt pour porter secours à la jeune fille.

— Laisse-moi m'occuper un peu du ver de terre, dit-il.

— Faites attention, Maître, je crois qu'il ne se sent pas très bien.

— Ça va aller, ne t'inquiète pas.

Mais Rotta laisse échapper un bruit bizarre, et vomit sur le Jedi ! Comme s'il s'en était douté, Anakin parvient à l'esquiver juste à temps.

— Je crois qu'il se sent mieux maintenant ! plaisante Ahsoka.

— Allez, R2, on y va !

Le petit droïde allume ses rétrofusées et vient se poser près d'Anakin, avant de foncer vers la sortie.

Derrière eux, le monstre pousse ses derniers râles d'agonie.

Ventress n'abandonnera pas. En tout cas pas tant qu'elle ne m'aura pas tué, se dit Anakin.

Ils rejoignent rapidement le niveau supérieur, et atteignent sans encombre la plate-forme d'atterrissage.

— Ahsoka, tu as été un grand Jedi aujourd'hui, dit Anakin en se tournant vers la jeune fille.

— C'est grâce à vous, Maître, répond-elle. Toi aussi, petit R2, tu t'es bien débrouillé.

Les compliments d'Anakin lui font l'effet de la pluie après la sécheresse.

— Et puis vous savez, Skytruc, ça n'était pas si difficile que ça, après tout ! continue-t-elle.

— À ta place, je ne serais pas aussi sûre de moi, réplique Anakin d'un ton mystérieux, en essayant d'entrer en contact avec Obi-Wan.

À suivre...

**Prêt pour de nouvelles
aventures intergalactiques ?
Alors tourne vite la page !**

La guerre des clones est loin d'être terminée : Anakin, Obi-Wan et Ahsoka protègent la République dans le 5e tome, *La trahison de Dooku*

Anakin et sa padawan, Ahsoka, ont retrouvé le fils de Jabba le Hutt. Ils doivent le ramener sain et sauf à son père, sur Tatooine. Mais le Comte Dooku a d'autres projets pour eux ! Vont-ils réussir leur mission ?

Pour connaître la date de parution de ce tome, inscris-toi vite à la newsletter du site **www.bibliothequeverte.com** !

Découvre les missions des Jedi !

1. L'invasion droïde

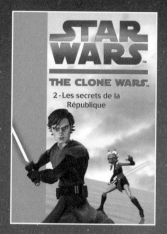

2. Les secrets de la République

3. Le retour de R2-D2

TABLE

Imprimé en France par Jean-Lamour - Groupe Qualibris
Dépôt légal : février 2010
20.07.1940.4/01– ISBN 978-2-01-201940-9
Loi n°49-956 du 16 juillet 1949
sur les publications destinées à la jeunesse